머리말

'퓨전'이라는 단어가 각광받고 있는 이 시점에서 우리는 동양의 사상체질과 서양의 혈액형을 접목시켜 동·서양의 조화를 이룬 궁합식품을 표로 나타내었다.
사람마다 생김새가 다르듯이 각자 체질과 혈액형이 다르므로 우리가 먹는 식품을 나의 체질과 혈액형에 맞추어 선택할 필요가 있다. 기호에 맞는 음식만을 고집할 것이 아니라, 다음의 표를 참고하여 보다 젊고 건강한 삶을 영위하길 바란다.

따스한 봄향기를 기다리며

약학박사 **이 숙 경**

체질과 혈액형에 따라 골라먹는 재미

☑ A형+태양인을 위한 음식 비교

	이로운 음식	무난한 음식	해로운 음식
육 가금류		닭고기, 칠면조	베이컨, 쇠고기, 오리고기, 거위고기, 햄, 양고기, 간, 꿩고기, 돼지고기, 토끼고기,
태양인			대부분의 육류가 해로움
어패류	잉어, 대구, 고등어, 아귀, 송어, 연어, 정어리	전복, 다랑어, 농어, 도미, 상어, 빙어, 철갑상어, 민어, 뱅어	멸치, 블루길, 메기, 캐비어, 대합조개, 소라
태양인	청어, 게, 뱀장어, 가자미, 굴, 도미, 새우, 오징어, 문어, 조개류, 낙지, 꽁치, 조기,		미꾸라지, 잉어, 멍게, 해삼, 대부분의 민물생선은 해로움
유제품과 계란	콩 치즈, 두유	파머 치즈, 모짜렐라 치즈, 스트링 치즈, 요구르트	체더 치즈, 버터, 크림 치즈, 카망베르 치즈, 아이스크림, 스위스 치즈, 전지유
태양인			계란, 우유
기름과 지방	아마인유, 올리브유	카놀라유, 대구 간유	옥수수유, 면실유, 땅콩기름, 홍화유, 참기름
견과와 씨앗류	땅콩, 호박씨, 아마린스	아몬드, 밤, 여지열매, 잣, 깨, 콘밀, 호두, 해바라기씨, 콘플레이크 귀리기울, 오트밀	브라질넛, 카슈넛, 파스타치오, 감자 녹말, 맥아, 밀기울
태양인			대추, 은행

곡류, 콩류	에세네빵, 에스겔빵, 발아밀빵, 귀리가루, 팥, 검정콩, 렌즈콩, 동부	보리, 현미, 옥수수, 수수, 호밀, 잠두, 누에콩, 흰 콩, 완두콩	잡곡빵, 통밀, 밀가루, 강낭콩, 리마콩, 타마린드콩
태양인	메밀, 백미, 메주, 녹두, 두부		율무, 찹쌀, 메주콩, 흰콩
채소류	브로콜리, 당근, 치커리, 마늘, 고추냉이, 케일, 부추, 양파, 파슬리, 늙은 호박, 시금치, 근대, 순무	아스파라거스, 죽순, 비트, 셀러리, 처빌, 오이, 고사리, 양상치, 표고버섯, 겨자잎, 미역, 숙주, 냉이, 애호박	배추, 양배추, 가지, 고추, 감자, 검은 올리브, 고구마, 토마토
태양인	양상치, 냉이, 연근, 토란, 쑥, 쑥갓, 취나물, 달래, 씀바귀, 깻잎, 과, 익모초, 버섯류		생강, 더덕, 열무, 도라지, 참마, 콩나물, 미나리, 어성초, 신선초, 인삼
과일	살구, 블루베리, 버찌, 무화과, 레몬, 파인애플, 자두	사과, 대추야자, 포도, 구아바, 키위, 멜론, 수박, 복숭아, 배, 감, 석류, 건포도, 딸기	바나나, 코코넛, 망고, 오렌지, 파파야
태양인	딸기, 곶감, 유자, 머루		매실, 참외
각종 음료	커피, 녹차, 적포도주, 당근, 버찌, 자두, 레몬수, 알로에, 우엉, 생강, 인삼, 녹차	백포도주, 사과, 포도, 머위, 당귀, 박하, 감초, 권장된 야채를 재료로 만든 주스	맥주, 증류주, 탄산수, 콜라, 소다수, 홍차, 오렌지, 파파야, 토마토
태양인	모과, 오가피, 로얄제리, 솔잎차		영지, 구기자, 오미자, 결명자
향신료, 양념	엿기름, 마늘, 생강, 권장한 과일을 이용한 잼과 젤리, 겨자	칡가루, 물엿, 계피, 카레, 벌꿀, 고추냉이, 박하, 로즈마리, 피망, 바닐라	후추, 고춧가루, 식초, 케첩, 마요네즈, 피클

※ 태양인에게 이로운 음식 (녹색 표시) 태양인에게 해로운 음식 (분홍색 표시)

☑ A형+태음인을 위한 음식 비교

	이로운 음식	무난한 음식	해로운 음식
육류와 가금류		닭고기, 칠면조	베이컨, 쇠고기, 오리고기, 거위고기, 햄, 양고기, 간, 꿩고기, 돼지고기, 토끼고기, 메추라기
태음인	소내장		개고기
어패류	잉어, 대구, 고등어, 아귀, 송어, 연어, 정어리	전복, 다랑어, 농어, 도미, 상어, 빙어, 철갑상어, 민어, 뱅어	멸치, 블루길, 메기, 캐비어, 대합조개, 소라
태음인	청어, 민물뱀장어, 향어		게, 홍합, 굴, 가리비, 새우, 오징어, 낙지, 갈치, 꽁치, 참치
유제품과 계란	콩 치즈, 두유	파머 치즈, 모짜렐라 치즈, 스트링 치즈, 요구르트	체더 치즈, 브리 치즈, 버터, 카망베르 치즈, 크림 치즈, 아이스크림, 전지유, 스위스치즈,
태음인	우유		
기름과 지방	아마인유, 올리브유	카놀라유, 대구 간유	옥수수유, 면실유, 땅콩기름, 홍화유, 참기름
견과와 씨앗류	땅콩, 호박씨, 아마린스	아몬드, 밤, 여지열매, 잣, 깨, 호두, 해바라기씨, 콘플레이크 콘밀, 오트밀, 귀리기울,	브라질넛, 카슈넛, 파스타치오, 감자 녹말, 맥아, 밀기울
태음인	은행, 잣		대추

곡류, 콩류	에세네빵, 에스겔빵, 발아밀빵, 팥, 귀리가루, 검정콩, 렌즈콩, 동부	보리, 수수, 현미, 옥수수, 옥수수, 수수, 호밀, 잠두, 누에콩, 흰 콩, 완두콩	잡곡빵, 통밀빵, 밀가루, 강낭콩, 리마콩, 타마린드콩
태음인	멥쌀, 조, 백미, 율무, 두부		메밀, 흑태, 녹두
채소류	브로콜리, 당근, 치커리, 마늘, 고추냉이, 케일, 부추, 양파, 파슬리, 늙은 호박, 시금치, 근대, 순무	아스파라거스, 죽순, 비트, 셀러리, 처빌, 오이, 고사리, 양상치, 표고버섯, 겨자잎, 미역, 숙주, 냉이, 애호박	배추, 양배추, 가지, 고추, 검은 올리브, 감자, 고구마, 토마토
태음인	당근		
과일	살구, 블루베리, 버찌, 무화과, 레몬, 파인애플, 자두	사과, 대추야자, 포도, 구아바, 키위, 멜론, 수박, 복숭아, 배, 감, 석류, 건포도, 딸기	바나나, 코코넛, 망고, 멜론, 오렌지, 파파야
태음인	유자, 체리		앵두, 곶감, 모과
각종음료	커피, 녹차, 적포도주, 살구, 당근, 버찌, 파인애플, 자두, 레몬수, 알로에, 우엉, 생강, 인삼	백포도주, 사과, 포도, 머위, 당귀, 박하, 감초, 권장된 야채를 재료로 만든 주스	맥주, 증류주, 탄산수, 콜라, 소다수, 홍차, 오렌지, 파파야, 토마토
태음인			알로에, 결명자
향신료, 양념	엿기름, 마늘, 생강, 권장한 과일을 이용한 잼과 젤리, 겨자	칡가루, 월계수잎, 물엿, 계피, 카레, 벌꿀, 다시마, 박하, 파슬리, 페퍼민트, 로즈마리, 피망, 바닐라	후추, 고춧가루, 식초, 케첩, 마요네즈, 피클

※ (녹색) 태음인에게 이로운 음식 (분홍색) 태음인에게 해로운 음식

☑ A형+소양인을 위한 음식 비교

	이로운 음식	무난한 음식	해로운 음식
육류와 가금류		닭고기, 칠면조	베이컨, 쇠고기, 오리고기, 거위고기, 햄, 양고기, 간, 꿩고기, 돼지고기, 토끼고기, 메추라기
소양인			개고기, 염소고기
어패류	잉어, 대구, 고등어, 아귀, 송어, 연어, 정어리, 농어	전복, 다랑어, 농어, 도미, 상어, 빙어, 철갑상어, 민어	멸치, 블루길, 메기, 캐비어, 대합조개, 소라
소양인	새우, 오징어, 가자미, 굴, 해삼, 멍게, 가물치, 복어 (등 대부분의 어패류)		조기
유제품과 계란	콩 치즈, 두유	파머 치즈, 모짜렐라 치즈, 스트링 치즈, 요구르트, 계란	체더 치즈, 브리 치즈, 버터, 카망베르 치즈, 크림 치즈, 아이스크림, 전지유
소양인	우유		
기름과 지방	아마인유, 올리브유	카놀라유, 대구 간유	옥수수유, 면실유, 땅콩기름, 홍화유, 참기름
견과와 씨앗류	땅콩, 호박씨, 아마린스	아몬드, 밤, 여지열매, 잣, 깨, 호두, 해바라기씨, 콘플레이크 콘밀, 오트밀, 귀리기울,	브라질넛, 카슈넛, 파스타치오, 감자 녹말, 맥아, 밀기울
소양인			대추

곡류, 콩류	에세네빵, 에스겔빵, 밭, 발아밀빵, 귀리가루, 검정콩, 렌즈콩, 동부	보리, 수수, 현미, 옥수수, 수수, 호밀, 잠두, 누에콩, 흰 콩, 완두콩	잡곡빵, 통밀빵, 밀가루, 강낭콩, 리마콩, 타마린드콩
소양인	녹두, 밀가루, 백미		율무, 찹쌀, 조
채소류	브로콜리, 당근, 치커리, 마늘, 고추냉이, 케일, 부추, 양파, 파슬리, 늙은 호박, 시금치, 근대, 두부, 무	아스파라거스, 죽순, 비트, 셀러리, 처빌, 오이, 고사리, 양상치, 표고버섯, 겨자잎, 미역, 숙주, 냉이, 애호박	배추, 양배추, 가지, 고추, 검은 올리브, 감자, 고구마, 토마토
소양인	미나리, 취나물, 연근, 토란, 가지, 참외, 버섯류, 콩나물		인삼, 파, 미역, 김, 도라지, 더덕, 마
과일	살구, 블루베리, 버찌, 무화과, 레몬, 파인애플, 자두	사과, 대추야자, 포도, 배, 구아바, 키위, 멜론, 수박, 복숭아, 감, 석류, 건포도, 딸기	바나나, 코코넛, 망고, 멜론, 오렌지, 파파야
소양인	곶감		
각종음료	커피, 녹차, 적포도주, 당근, 버찌, 파인애플, 자두, 우엉, 알로에, 생강, 인삼, 녹차,	백포도주, 사과, 포도, 머위, 박하, 감초, 권장된 야채를 재료로 만든 주스	맥주, 증류주, 탄산수, 콜라, 홍차, 오렌지, 파파야, 토마토
소양인	결명자, 구기자, 산수유, 보리		술
향신료, 양념	엿기름, 마늘, 생강, 권장한 재료를 이용한 저지방 제품의 샐러드드레싱, 겨자	칡가루, 물엿, 계피, 카레, 꿀, 고추냉이, 다시마, 박하, 페퍼민트, 로즈마리, 바닐라	후추, 고춧가루, 식초, 케첩, 마요네즈, 피클

※ (초록) 소양인에게 이로운 음식 (분홍) 소양인에게 해로운 음식

☑A형+소음인을 위한 음식 비교

	이로운 음식	무난한 음식	해로운 음식
육류와 가금류		닭고기, 칠면조	베이컨, 쇠고기, 오리고기, 거위고기, 햄, 양고기, 간, 꿩고기, 돼지고기, 토끼고기, 메추라기
소음인	개고기, 염소고기		
어패류	잉어, 대구, 고등어, 아귀, 송어, 연어, 정어리	전복, 다랑어, 농어, 도미, 상어, 빙어, 철갑상어, 민어, 뱅어	멸치, 블루길, 메기, 캐비어, 대합조개, 소라
소음인	뱀장어, 오징어, 미꾸라지, 조기, 갈치, 참치		청어, 새우, 굴, 낙지, 조개류
유제품과 계란	콩 치즈, 두유	파머 치즈, 모짜렐라 치즈, 스트링 치즈, 요구르트	체더 치즈, 브리 치즈, 버터, 카망베르 치즈, 크림 치즈, 전지유, 아이스크림,
소음인			
기름과 지방	아마인유, 올리브유	카놀라유, 대구 간유	옥수수유, 면실유, 땅콩기름, 홍화유, 참기름
견과와 씨앗류	땅콩, 호박씨, 아마린스	아몬드, 밤, 잣, 깨, 해바라기씨, 호두, 오트밀	브라질넛, 카슈넛, 파스타치오, 감자 녹말, 맥아, 밀기울
소음인	도토리묵		대추, 잣

곡류, 콩류	에세네빵, 에스겔빵, 발아밀빵, 귀리가루, 팥, 검정콩, 렌즈콩, 동부	보리, 현미, 옥수수, 수수, 호밀, 잠두, 누에콩, 흰 콩, 완두콩	잡곡빵, 통밀, 밀가루, 강낭콩, 리마콩, 타마린드콩
소음인	찹쌀, 조, 두부		메밀, 흰콩, 녹두, 율무
채소류	브로콜리, 당근, 치커리, 마늘, 고추냉이, 케일, 부추, 양파, 파슬리, 늙은 호박, 시금치, 근대, 두부, 무	아스파라거스, 죽순, 비트, 셀러리, 처빌, 오이, 고사리, 양상치, 표고버섯, 겨자잎, 미역, 숙주, 냉이, 애호박, 다시마	배추, 양배추, 가지, 검은 올리브, 고추, 감자, 고구마, 토마토
소음인	김, 파래, 파, 취나물, 연근, 쑥갓		숙주, 미나리, 도라지, 더덕, 신선초
과일	살구, 블루베리, 버찌, 무화과, 레몬, 파인애플, 자두	사과, 대추야자, 포도, 구아바, 키위, 멜론, 수박, 복숭아, 배, 감, 석류, 건포도, 딸기	바나나, 코코넛, 망고, 멜론, 오렌지, 파파야
소음인			곶감
각종음료	커피, 녹차, 적포도주, 살구, 당근, 버찌, 파인애플, 자두 레몬수, 알로에, 우엉, 생강, 인삼, 녹차	백포도주, 사과, 포도, 머위, 당귀, 박하, 감초, 권장된 야채를 재료로 만든 주스	맥주, 증류주, 탄산수, 콜라, 소다수, 홍차, 오렌지, 파파야, 토마토
소음인			영지, 결명자, 구기자, 오미자
향신료, 양념	엿기름, 마늘, 생강, 권장한 과일을 이용한 잼과 젤리, 권장한 재료를 이용한 저지방 제품의 샐러드 드레싱, 겨자	칡가루, 월계수잎, 물엿, 계피, 카레, 꿀, 고추냉이, 박하, 파슬리, 페퍼민트, 로즈마리, 피망, 바닐라	후추, 고춧가루, 식초, 케첩, 마요네즈, 피클

※ (녹색) 소음인에게 이로운 음식 (분홍색) 소음인에게 해로운 음식

☑ B형+태양인을 위한 음식 비교

	이로운 음식	무난한 음식	해로운 음식
육류와 가금류	양고기, 토끼고기	쇠고기, 간, 꿩고기, 칠면조	베이컨, 닭고기, 오리고기, 거위고기, 햄, 돼지고기, 메추라기
태양인			대부분의 육류가 해로움
어패류	대구, 가자미, 넙치(광어), 고등어, 아귀, 도미, 정어리, 송어, 철갑상어(알)	전복, 다랑어, 잉어, 메기, 청어, 가리비, 상어, 빙어, 오징어, 옥돔, 민어, 송어, 농어, 연어, 뱅어, 전갱이	멸치, 대합조개, 소라, 게, 가재, 뱀장어, 바다가재, 굴, 훈제연어, 홍합, 문어, 새우
태양인	조개류, 낙지, 조기, 꽁치, 참치		미꾸라지, 멍게, 해삼 대부분의 민물생선은 해로움
유제품과 계란	코티지 치즈, 파머 치즈, 염소 치즈, 모짜렐라 치즈, 우유, 요구르트	브리 치즈, 버터, 카망베르 치즈, 소이 치즈, 두유, 스위스 치즈, 전유	체더 치즈, 블루 치즈, 아이스크림, 스트링 치즈
태양인			계란
기름과 지방	올리브유	대구 간유, 아미인유	옥수수유, 면실유, 땅콩기름, 홍화유, 카놀라유, 참기름, 해바라기씨유
견과와 씨앗류	아몬드, 밤, 호두, 밀기울, 오트밀, 쌀가루, 스펠트밀	감자녹말, 전분	카슈넛, 개암, 잣, 호박씨, 피스타치오, 땅콩, 깨, 해바라기씨
태양인			은행, 대추

곡류, 콩류	에세네빵, 에스겔빵, 수수, 귀리, 강낭콩, 리마콩	흑빵, 현미, 백미, 잠두, 붉은콩, 흰콩, 누에콩, 타마린드콩, 완두콩, 대두	옥수수, 호밀, 통밀, 보리, 밀가루, 메밀, 팥, 검정콩, 렌즈콩, 동부
태양인	메주, 녹두, 두부		율무, 찹쌀, 메주콩, 흰콩
채소류	비트, 브로콜리, 배추, 양배추, 당근, 가지, 케일, 리마콩, 표고버섯, 겨자잎, 파슬리, 고추, 고구마	아스파라거스, 죽순, 셀러리, 오이, 치커리, 상추, 마늘, 생강, 부추, 양파, 고추냉이, 양상치, 버섯류, 감자, 시금치, 근대, 순무, 냉이, 애호박	올리브, 늙은 호박, 래디시, 숙주, 토마토
태양인	연근, 토란, 쑥, 쑥갓, 달래, 취나물, 씀바귀, 깻잎, 과, 익모초		당근, 더덕, 열무, 도라지, 콩나물, 참마, 미나리, 어성초, 신선초, 인삼
과일	바나나, 포도, 파파야, 파인애플, 자두	사과, 살구, 딸기, 블루베리, 버찌, 배, 건포도, 무화과, 구아바, 키위, 레몬, 망고, 멜론, 수박, 복숭아, 오렌지, 귤	코코넛, 감, 석류, 백년초
태양인	모과, 곶감, 유자, 앵두, 머루		매실, 참외
각종음료	포도, 파파야, 파인애플, 생강, 인삼, 감초, 페퍼민트, 세이지	사과, 당근, 오렌지, 레몬수, 녹차, 식초, 맥주, 적포도주, 백포도주, 커피, 홍차	토마토, 알로에, 머위, 현삼, 용담속, 대황, 증류주, 탄산수, 콜라, 소다수
태양인	오가피, 로얄제리, 쑥차, 솔잎차		영지, 오미자, 구기자, 결명자
향신료, 양념	고춧가루, 카레, 생강, 고추냉이, 파슬리	우엉, 박하, 고추, 칡가루, 마늘, 벌꿀, 다시마, 박하, 피망, 바닐라, 마요네즈, 겨자	아몬드 추출액, 엿기름, 계피, 후추, 옥수수물엿, 케첩

※ 태양인에게 이로운 음식 태양인에게 해로운 음식

☑ B형+태음인을 위한 음식 비교

	이로운 음식	무난한 음식	해로운 음식
육류와 가금류	양고기, 토끼고기	쇠고기, 간, 꿩고기, 칠면조	베이컨, 닭고기, 오리고기, 거위고기, 햄, 돼지고기, 메추라기
태음인	소내장		개고기
어패류	대구, 가자미, 넙치(광어), 고등어, 아귀, 도미, 정어리, 철갑상어(알)	전복, 다랑어, 잉어, 메기, 청어, 상어, 가리비, 빙어, 오징어, 옥돔, 민어, 송어, 농어, 연어, 뱅어, 전갱이	멸치, 대합조개, 소라, 게, 가재, 문어, 뱀장어, 바다가재, 훈제연어, 홍합, 굴, 새우
태음인	향어		낙지, 갈치, 꽁치, 참치
유제품과 계란	코티지 치즈, 파머 치즈, 염소 치즈, 모짜렐라 치즈, 탈지우유, 요구르트	브리 치즈, 버터, 카망베르 치즈, 소이 치즈, 두유, 스위스 치즈, 전유	체더 치즈, 블루 치즈, 아이스크림, 스트링 치즈
태음인	우유		
기름과 지방	올리브유	대구 간유, 아미인유	옥수수유, 면실유, 땅콩기름, 홍화유, 카놀라유, 참기름, 해바라기씨유
견과와 씨앗류	아몬드, 브라질넛, 밤, 여지, 피칸넛, 호두, 밀기울, 오트밀, 쌀가루, 스펠트밀	감자녹말, 전분	카슈넛, 개암, 잣, 땅콩, 피스타치오, 호박씨, 깨, 해바라기씨, 아마린스, 맥아
태음인	은행		대추

곡류, 콩류	에세네빵, 에스겔빵, 수수, 귀리, 강낭콩, 리마콩,	흑빵, 현미, 백미, 잠두, 흰콩, 붉은콩, 누에콩, 타마린드콩, 완두콩, 대두	통밀, 옥수수, 호밀, 통밀, 보리, 밀가루, 메밀, 팥, 검정콩, 렌즈콩, 동부
태음인	멥쌀, 조, 율무, 두부		흑태, 녹두
채소류	비트, 브로콜리, 배추, 양배추, 당근, 가지, 케일, 리마콩, 표고버섯, 겨자잎, 파슬리, 고추, 고구마	아스파라거스, 죽순, 셀러리, 치커리, 오이, 상추, 마늘, 생강, 고추냉이, 부추, 양상치, 버섯류, 양파, 감자, 시금치, 근대, 순무, 냉이, 애호박	올리브, 늙은 호박, 래디시, 숙주, 토마토
태음인	양파, 고사리, 도라지, 쑥갓, 달래, 무순, 무, 연근, 토마토		미나리, 신선초, 참외
과일	바나나, 포도, 파파야, 파인애플, 자두	사과, 살구, 딸기, 블루베리, 버찌, 배, 건포도, 무화과, 구아바, 키위, 레몬, 망고, 멜론, 수박, 복숭아, 오렌지, 귤	코코넛, 감, 석류, 백년초
태음인	유자, 체리		앵두, 곶감, 모과
각종음료	포도, 파파야, 파인애플, 생강, 인삼, 감초, 페퍼민트, 세이지, 녹차	사과, 당근, 오렌지, 레몬수, 녹차, 식초, 맥주, 적포도주, 백포도주, 커피, 홍차	토마토, 알로에, 머위, 용담속, 현삼, 대황, 증류주, 탄산수, 콜라, 소다수
태음인			결명자
향신료, 양념	고춧가루, 카레, 생강, 고추냉이, 파슬리	우엉, 박하, 고추, 칡가루, 마늘, 벌꿀, 다시마, 박하, 피망, 바닐라, 마요네즈, 겨자	아몬드 추출액, 엿기름, 계피, 옥수수물엿, 후추, 케첩

※ (녹색) 태음인에게 이로운 음식 (분홍색) 태음인에게 해로운 음식

☑ B형+소양인을 위한 음식 비교

	이로운 음식	무난한 음식	해로운 음식
육류와 가금류	양고기, 토끼고기	쇠고기, 간, 꿩고기, 칠면조	베이컨, 닭고기, 오리고기, 거위고기, 햄, 돼지고기, 메추라기
소양인			개고기, 염소고기
어패류	대구, 가자미, 넙치(광어), 고등어, 아귀, 도미, 정어리, 송어, 철갑상어(알)	전복, 다랑어, 잉어, 메기, 청어, 옥돔, 가리비, 상어, 빙어, 오징어, 만어, 숭어, 농어, 연어, 뱅어, 전갱이	멸치, 대합조개, 소라, 게, 가재, 홍합, 뱀장어, 바다가재, 훈제연어, 문어, 굴, 새우
소양인	해삼, 멍게, 가물치, 복어 등 대부분의 어패류		조기
유제품과 계란	코티지 치즈, 파머 치즈, 염소 치즈, 모짜렐라 치즈, 탈지우유, 요구르트	브리 치즈, 버터, 카망베르 치즈, 체더 치즈, 소이 치즈, 두유, 스위스 치즈, 전유	체더 치즈, 블루 치즈, 아이스크림, 스트링 치즈
소양인	계란		
기름과 지방	올리브유	대구 간유, 아마인유	옥수수유, 면실유, 홍화유, 땅콩기름, 카놀라유, 참기름, 해바라기씨기름
견과와 씨앗류	아몬드, 브라질넛, 밤, 피칸넛, 호두, 밀기울, 오트밀, 여지, 쌀가루, 스펠트밀	감자녹말, 전분	카슈넛, 개암, 잣, 땅콩, 피스타치오, 호박씨, 깨, 해바라기씨, 아마린스, 맥아
소양인			대추

곡류, 콩류	에세네빵, 에스겔빵, 수수, 귀리, 강낭콩, 리마콩,	흑빵, 현미, 백미, 잠두, 붉은콩, 흰콩, 누에콩, 타마린드콩, 완두콩, 대두	통밀, 옥수수, 호밀, 통밀, 보리, 밀가루, 메밀, 팥, 검정콩, 렌즈콩, 동부
소양인	백미, 녹두		찹쌀, 조
채소류	비트, 브로콜리, 배추, 양배추, 당근, 가지, 케일, 리마콩, 표고버섯, 겨자잎, 파슬리, 고추, 고구마	아스파라거스, 죽순, 상추, 셀러리, 치커리, 오이, 마늘, 생강, 고추냉이, 부추, 양파, 양상치, 버섯류, 감자, 근대, 시금치, 순무, 냉이, 애호박	올리브, 늙은 호박, 래디시, 숙주, 토마토
소양인	미나리, 취나물, 연근, 토란, 가지, 영지, 버섯, 콩나물		양파, 인삼, 파, 미역, 김, 도라지, 더덕, 마, 다시마
과일	바나나, 포도, 파파야, 파인애플, 자두	사과, 살구, 딸기, 블루베리, 버찌, 배, 건포도, 무화과, 키위, 구아바, 레몬, 망고, 멜론, 수박, 복숭아, 오렌지, 귤	코코넛, 감, 석류, 백년초
소양인	곶감		앵두, 모과
각종음료	포도, 파파야, 파인애플, 생강, 인삼, 감초, 페퍼민트, 세이지, 감초뿌리, 녹차	사과, 당근, 오렌지, 레몬수, 녹차, 식초, 맥주, 적포도주, 백포도주, 커피, 홍차	토마토, 알로에, 머위, 용담속, 현삼, 대황, 증류주, 탄산수, 콜라, 소다수
소양인			결명자
향신료, 양념	고춧가루, 카레, 생강, 고추냉이, 파슬리	우엉, 박하, 고추, 칡가루, 마늘, 꿀, 박하, 피망, 바닐라, 마요네즈, 겨자	아몬드 추출액, 엿기름, 계피, 옥수수물엿, 후추, 케첩

※ (녹색) 소양인에게 이로운 음식 (분홍색) 소양인에게 해로운 음식

☑ B형+소음인을 위한 음식 비교

	이로운 음식	무난한 음식	해로운 음식
육류와 가금류	양고기, 토끼고기	쇠고기, 간, 꿩고기, 칠면조	베이컨, 닭고기, 오리고기, 햄, 거위고기, 돼지고기, 메추라기
소음인	개고기, 염소고기		
어패류	대구, 가자미, 넙치(광어), 고등어, 아귀, 도미, 정어리, 송어, 철갑상어(알)	전복, 다랑어, 잉어, 메기, 청어, 가리비, 상어, 빙어, 오징어, 옥돔, 민어, 숭어, 농어, 연어, 뱅어, 전갱이	멸치, 대합조개, 소라, 게, 가재, 뱀장어, 바다가재, 굴, 훈제연어, 홍합, 문어, 새우
소음인	미꾸라지, 조기, 갈치, 참치		낙지, 조개류
유제품과 계란	코티지 치즈, 파머 치즈, 염소 치즈, 모짜렐라 치즈, 탈지우유, 요구르트	브리 치즈, 버터, 카망베르 치즈, 소이 치즈, 두유, 전유, 스위스 치즈	체더 치즈, 블루 치즈, 아이스크림, 스트링 치즈
소음인	계란		
기름과 지방	올리브유	대구 간유, 아미인유	옥수수유, 면실유, 홍화유, 땅콩기름, 카놀라유, 참기름, 해바라기씨유
견과와 씨앗류	아몬드, 브라질넛, 밤, 여지, 피칸넛, 호두, 밀기울, 오트밀, 쌀가루, 스펠트밀	감자녹말, 전분	카슈넛, 개암, 잣, 땅콩, 피스타치오, 호박씨, 깨, 해바라기씨, 아마린스, 맥아
소음인	도토리묵		대추

곡류, 콩류	에세네빵, 에스겔빵, 수수, 귀리, 강낭콩, 리마콩,	흑빵, 현미, 백미, 잠두, 붉은콩, 흰콩, 누에콩, 타마린드콩, 완두콩, 대두	통밀, 옥수수, 호밀, 통밀, 보리, 밀가루, 메밀, 팥, 검정콩, 렌즈콩, 동부
소음인	멥쌀, 조, 두부		흰콩, 율무, 녹두
채소류	비트, 브로콜리, 배추, 양배추, 당근, 가지, 케일, 리마콩, 표고버섯, 겨자잎, 파슬리, 고추, 고구마	아스파라거스, 죽순, 오이, 셀러리, 치커리, 상추, 마늘, 생강, 고추냉이, 부추, 양파, 양상치, 버섯류, 감자, 근대, 시금치, 순무, 냉이, 애호박	올리브, 늙은 호박, 래디시, 숙주, 토마토
소음인	미역, 다시마, 김, 파래, 파, 취나물, 연근, 쑥갓		미나리, 도라지, 더덕, 참외, 신선초
과일	바나나, 포도, 파파야, 파인애플, 자두	사과, 살구, 딸기, 블루베리, 버찌, 배, 건포도, 무화과, 키위, 구아바, 레몬, 망고, 멜론, 수박, 복숭아, 오렌지, 귤	코코넛, 감, 석류, 백년초
소음인			곶감
각종음료	포도, 파파야, 파인애플, 생강, 인삼, 감초, 페퍼민트, 세이지, 녹차	사과, 당근, 오렌지, 레몬수, 녹차, 식초, 맥주, 적포도주, 백포도주, 커피, 홍차	토마토, 알로에, 머위, 용담속, 현삼, 대황, 증류주, 탄산수, 콜라, 소다수
소음인	우엉		영지, 오미자, 구기자, 결명자
향신료, 양념	고춧가루, 카레, 생강, 고추냉이, 파슬리	우엉, 박하, 고추, 칡가루, 마늘, 벌꿀, 다시마, 박하, 피망, 바닐라, 마요네즈, 겨자	아몬드 추출액, 엿기름, 계피, 후추, 옥수수물엿, 케첩

※ (초록) 소음인에게 이로운 음식 (분홍) 소음인에게 해로운 음식

☑ O형+태양인을 위한 음식 비교

	이로운 음식	무난한 음식	해로운 음식
육류와 가금류	쇠고기, 양고기, 간	닭고기, 오리고기, 꿩고기, 칠면조, 메추라기	베이컨, 거위, 햄, 돼지고기
태양인			대부분의 육류가 해로움
어패류	대구, 청어, 고등어, 송어, 연어, 정어리, 철갑상어, 옥돔, 방어	전복, 다랑어, 결치, 잉어, 대합조개, 게, 가재, 뱀장어, 가자미, 아귀, 홍합, 농어, 굴, 도미, 가리비, 상어, 새우, 빙어, 오징어, 민어	메기, 소라, 훈제연어, 문어
태양인	조개류, 낙지, 꽁치, 조기, 참치		미꾸라지, 멍게, 해삼 대부분의 민물생선은 해로움
유제품과 계란	버터, 파머 치즈, 모짜렐라 치즈, 두유, 소이치즈	계란	체더 치즈, 블루치즈, 전유, 크림치 즈, 아이스크림, 스위스 치즈, 요구르트
태양인			우유
기름과 지방	아마인유, 올리브유	카놀라유, 대구 간유, 참기름	옥수수유, 면실유, 땅콩기름, 홍화유
견과와 씨앗류	호박씨, 호두, 아마린스, 쌀크림, 스펠트 밀	아몬드, 밤, 깨, 해바라기씨	브라질넛, 카슈넛, 여지, 땅콩, 맥아, 파스타치오, 밀기울, 오트밀, 감자녹말, 콘플레이크, 귀리기울
태양인	잣		은행, 대추

곡류, 콩류	에세네빵, 에스겔빵, 보리, 수수, 팥, 동부	현미, 보리, 메밀, 백미, 율무, 검정콩, 잠두, 리마콩, 완두콩, 누에콩	밀 베이글, 통밀빵, 밀가루, 옥수수, 강낭콩, 타마린드콩, 렌즈콩
태양인	메주, 녹두, 두부		찹쌀, 메주콩, 흰콩
채소류	브로콜리, 치커리, 마늘, 고추냉이, 케일, 부추, 양파, 파슬리, 고추, 미역, 고구마, 늙은 호박, 시금치, 근대, 무	아스파라거스, 죽순, 비트, 당근, 숙주, 캐러웨이, 셀러리, 오이, 고사리, 생강, 양상치, 청고추, 올리브, 토마토, 냉이, 애호박	배추, 양배추, 가지, 표고버섯, 겨자잎, 검은 올리브, 감자
태양인	연근, 토란, 쑥, 쑥갓, 취나물, 달래, 씀바귀, 깻잎, 파, 익모초, 송이, 느타리, 팽이		숙주, 더덕, 열무, 도라지, 콩나물, 참마, 미나리, 어성초, 신선초, 인삼
과일	무화과, 자두, 매실	사과, 살구, 바나나, 버찌, 건포도, 포도, 키위, 레몬, 망고, 수박, 복숭아, 파파야, 배, 감, 파인애플, 멜론	딸기, 코코넛, 오렌지
태양인	모과, 곶감, 유자, 머루, 앵두		참외
각종음료	버찌, 파인애플, 자두, 탄산수, 고추, 생강, 오디, 페퍼민트, 파슬리	살구, 당근, 샐러리, 포도, 토마토, 맥주, 녹차, 당귀, 적포도주, 백포도주, 인삼	사과, 오렌지, 커피, 홍차, 증류주, 콜라, 소다수, 알로에, 우엉
태양인	오가피, 로얄제리, 솔잎차, 쑥차		영지, 결명자, 구기자, 오미자
향신료, 양념	카레, 다시마, 고춧가루, 삼황가루, 잼과 젤리, 겨자	엿기름, 물엿, 마늘, 꿀, 고추냉이, 박하, 피망	계피, 후추, 바닐라, 식초, 케첩, 마요네즈, 피클

※ (녹색) 태양인에게 이로운 음식 (분홍색) 태양인에게 해로운 음식

☑O형+태음인을 위한 음식 비교

	이로운 음식	무난한 음식	해로운 음식
육류와 가금류	쇠고기, 양고기, 간	닭고기, 오리고기, 꿩고기, 칠면조, 메추라기	베이컨, 거위, 햄, 돼지고기
태음인	소내장		개고기
어패류	대구, 청어, 고등어, 송어, 연어, 정어리, 철갑상어, 옥돔, 방어	전복, 다랑어, 멸치, 잉어, 게, 아귀, 대합조개, 가지, 뱀장어, 가자미, 홍합, 농어, 굴, 도미, 가리비, 상어, 새우, 빙어, 오징어, 민어	메기, 소라, 청어, 훈제연어, 문어
태음인	민물뱀장어, 향어		낙지, 갈치, 꽁치, 참치
유제품과 계란	버터, 파머치즈, 모차렐라 치즈, 두유, 소이치즈	계란	체더 치즈, 블루치즈, 전유, 크림치즈, 아이스크림, 스위스치즈, 요구르트
태음인	우유		
기름과 지방	아마인유, 올리브유	카놀라유, 대구 간유, 참기름	옥수수유, 면실유, 땅콩기름, 홍화유
견과와 씨앗류	호박씨, 호두, 아마린스, 쌀크림, 스펠트 밀	아몬드, 밤, 깨, 해바라기씨	브라질넛, 카슈넛, 여지, 땅콩, 오트밀, 파스타치오, 콘플레이크, 감자녹말, 귀리기울, 밀기울, 맥아
태음인	은행, 잣		대추

곡류, 콩류	에세네빵, 에스겔빵, 보리, 수수, 팥, 동부	현미, 보리, 메밀, 백미, 율무, 검정콩, 잠두, 리마콩, 까지완두, 누에콩	밀 베이글, 통밀빵, 밀가루, 옥수수, 강낭콩, 타마린드콩, 렌즈콩
태음인	맵쌀, 조, 율무		흑태, 녹두
채소류	브로콜리, 치커리, 마늘, 케일, 부추, 양파, 파슬리, 고추, 고구마, 늙은 호박, 미역, 시금치, 근대, 순무, 고추냉이	아스파라거스, 죽순, 비트, 오이, 생강, 캐러웨이, 당근, 셀러리, 고사리, 냉이, 양상치, 올리브, 숙주, 두부, 토마토, 애호박	배추, 양배추, 가지, 표고버섯, 겨자잎, 검은 올리브, 감자
태음인	도라지, 쑥갓, 달래, 무순, 연근, 팽이버섯, 송이버섯		미나리, 신선초, 참외
과일	무화과, 자두, 매실	사과, 살구, 바나나, 버찌, 건포도, 포도, 키위, 레몬, 망고, 수박, 복숭아, 파파야, 배, 감, 파인애플, 멜론	딸기, 코코넛, 오렌지
태음인	석류, 유자, 체리		앵두, 곶감, 모과
각종음료	버찌, 파인애플, 자두, 고추, 탄산수, 생강, 오디, 파슬리, 페퍼민트	살구, 당근, 셀러리, 포도, 녹차, 녹차, 토마토, 맥주, 적포도주, 당귀, 인삼, 백포도주, 감초	사과, 오렌지, 커피, 홍차, 증류주, 콜라, 소다수, 알로에, 우엉
태음인			알로에, 결명자
향신료, 양념	카레, 다시마, 고춧가루, 삼황가루, 잼과 젤리, 겨자	칡가루, 엿기름, 물엿, 마늘, 꿀, 피망, 고추냉이, 박하, 파프리카	계피, 후추, 바닐라, 식초, 케첩, 피클, 마요네즈

※ (녹색) 태음인에게 이로운 음식 (분홍색) 태음인에게 해로운 음식

☑ O형+소양인을 위한 음식 비교

	이로운 음식	무난한 음식	해로운 음식
육류와 가금류	쇠고기, 양고기, 간	닭고기, 오리고기, 꿩고기, 칠면조, 메추라기	베이컨, 거위, 햄, 돼지고기
소양인			개고기, 염소고기
어패류	대구, 청어, 고등어, 송어, 연어, 정어리, 철갑상어, 옥돔, 방어	다랑어, 멸치, 잉어, 대합조개, 게, 굴, 가재, 뱀장어, 가자미, 아귀, 홍합, 농어, 도미, 가리비, 상어, 새우, 빙어, 오징어, 민어	메기, 소라, 청어, 훈제연어, 문어
소양인	해삼, 멍게, 가물치, 복어, 대부분의 어패류		조기
유제품과 계란	버터, 파머 치즈, 모짜렐라 치즈, 두유, 소이 치즈	계란	체더 치즈, 블루 치즈, 전유, 크림 치즈, 아이스크림, 스위스 치즈, 요구르트
소양인			
기름과 지방	아마인유, 올리브유	카놀라유, 대구 간유, 참기름	옥수수유, 면실유, 땅콩기름, 홍화유
견과와 씨앗류	호박씨, 호두, 아마린스, 쌀크림, 스펠트 밀	아몬드, 밤, 깨, 해바라기씨	브라질넛, 카슈넛, 여지, 땅콩, 밀기울, 귀리기울, 파스타치오, 맥아, 오트밀, 콘플레이크, 감자녹말
소양인			대추

곡류, 콩류	에세네빵, 에스겔빵, 보리, 수수, 팥, 동부	현미, 보리, 메밀, 백미, 율무, 검정콩, 잠두, 리마콩, 누에콩, 까치완두	밀 베이글, 통밀빵, 밀가루, 옥수수, 강낭콩, 타마린드콩, 렌즈콩
소양인	녹두		찹쌀, 조, 흰콩
채소류	브로콜리, 치커리, 마늘, 케일, 부추, 고추냉이, 양파, 파슬리, 고추, 고구마, 늙은호박, 미역, 시금치, 무	아스파라거스, 죽순, 비트, 당근, 오이, 셀러리, 고사리, 생강, 양상치, 올리브, 숙주, 토마토, 냉이, 애호박	배추, 양배추, 가지, 표고버섯, 겨자잎, 검은 올리브, 감자
소양인	미나리, 신선초, 취나물, 연근, 토란, 가지, 참외, 버섯, 콩나물		인삼, 파, 미역, 김, 도라지 더덕, 마
과일	무화과, 자두, 매실	사과, 살구, 바나나, 버찌, 건포도, 포도, 키위, 레몬, 망고, 수박, 복숭아, 파파야, 배, 감, 파인애플, 멜론	딸기, 코코넛, 오렌지
소양인	곶감		
각종음료	버찌, 파인애플, 자두, 탄산수, 생강, 오디, 페퍼민트, 파슬리	살구, 당근, 샐러리, 포도, 토마토, 맥주, 녹차, 적포도주, 백포도주, 당귀, 인삼, 녹차, 감초	사과, 오렌지, 커피, 홍차, 증류주, 콜라, 소다수, 알로에, 우엉
소양인	결명자, 구기자, 산수유, 보리		술
향신료, 양념	카레, 다시마, 고춧가루, 삼황가루, 잼과 젤리, 겨자	칡가루, 엿기름, 물엿, 마늘, 꿀, 박하, 고추냉이, 피망	계피, 후추, 바닐라, 식초, 케첩, 피클, 마요네즈

※ (녹색) 소양인에게 이로운 음식 (분홍색) 소양인에게 해로운 음식

☑ O형+소음인을 위한 음식 비교

	이로운 음식	무난한 음식	해로운 음식
육류와 가금류	쇠고기, 양고기, 간	닭고기, 오리고기, 꿩고기, 칠면조, 메추라기	베이컨, 거위, 햄, 돼지고기
소음인	개고기, 염소고기		
어패류	대구, 청어, 고등어, 송어, 연어, 옥돔, 정어리, 철갑상어, 방어	전복, 다랑어, 멸치, 잉어, 게, 가자미, 대합조개, 가재, 뱀장어, 아귀, 홍합, 농어, 굴, 도미, 가리비, 상어, 새우, 빙어, 오징어, 민어	메기, 소라, 청어, 훈제연어, 문어
소음인	미꾸라지, 조기, 갈치, 참치		조개류, 낙지
유제품과 계란	버터, 파머치즈, 모짜렐라 치즈, 두유, 소이치즈		체더 치즈, 블루 치즈, 전유, 크림 치즈, 아이스크림, 스위스 치즈, 요구르트
소음인	계란		
기름과 지방	아마인유, 올리브유	카놀라유, 대구 간유, 참기름	옥수수유, 면실유, 홍화유, 땅콩기름,
견과와 씨앗류	호박씨, 호두, 아마린스, 쌀크림, 스펠트 밀	아몬드, 밤, 깨, 해바라기씨	브라질넛, 카슈넛, 여지, 땅콩, 오트밀, 파스타치오, 콘플레이크, 맥아, 밀기울, 감자녹말, 귀리기울
소음인	도토리묵		대추, 잣

곡류, 콩류	에세네빵, 에스겔빵, 보리, 팥, 수수, 동부	현미, 보리, 메밀, 백미, 율무, 검정콩, 잠두, 리마콩, 완두콩, 누에콩	밀 베이글, 통밀, 밀가루, 옥수수, 강낭콩, 타마린드콩, 렌즈콩
소음인	찹쌀, 조, 두부		흰콩, 녹두, 율무
채소류	브로콜리, 치커리, 마늘, 케일, 부추, 양파, 파슬리, 고추, 고구마, 늙은호박, 미역, 근대, 시금치, 무, 다시마, 고추냉이,	아스파라거스, 죽순, 비트, 캐러웨이, 당근, 셀러리, 오이, 고사리, 생강, 양상치, 올리브, 숙주, 토마토, 냉이, 애호박	배추, 양배추, 가지, 표고버섯, 겨자잎, 검은 올리브, 감자
소음인	김, 파래, 파, 취나물, 연근, 쑥갓		미나리, 도라지, 더덕, 참외, 신선초
과일	무화과, 자두, 매실	사과, 살구, 바나나, 버찌, 건포도, 포도, 키위, 레몬, 망고, 수박, 복숭아, 파파야, 배, 감, 파인애플, 멜론	딸기, 코코넛, 오렌지
소음인			곶감
각종음료	버찌, 파인애플, 자두, 탄산수, 생강, 오디, 페퍼민트, 파슬리	당근, 샐러리, 포도, 토마토, 맥주, 녹차, 적포도주, 당귀, 백포도주, 인삼, 녹차, 감초	사과, 오렌지, 커피, 홍차, 증류주, 콜라, 소다수, 알로에, 우엉
소음인			영지, 결명자, 구기자, 오미자
향신료, 양념	카레, 고춧가루, 삼황가루, 잼과 젤리, 겨자	칡가루, 엿기름, 물엿, 마늘, 꿀, 고추냉이, 박하, 피망, 파프리카	계피, 후추, 바닐라, 식초, 케첩, 마요네즈, 피클

※ (녹색) 소음인에게 이로운 음식 (분홍색) 소음인에게 해로운 음식

☑ AB형+태양인을 위한 음식 비교

	이로운 음식	무난한 음식	해로운 음식
육류와 가금류	양고기, 토끼고기, 칠면조	간, 꿩고기	베이컨, 쇠고기, 오리고기, 햄, 닭고기, 거위고기, 돼지고기, 메추라기
태양인			대부분의 육류가 해로움
어패류	다랑어, 대구, 고등어, 아귀, 도미, 송어, 정어리, 청어, 철갑상어	전복, 잉어, 메기, 캐비어, 홍합, 상어, 가리비, 빙어, 오징어, 옥돔, 민어, 농어, 연어	멸치, 대합조개, 소라, 게, 굴, 가재, 뱀장어, 가자미, 넙치, 바다가재, 문어, 훈제연어, 새우, 가자미
태양인	연어, 조개류, 낙지, 조기, 꽁치, 참치		미꾸라지, 멍게, 해삼 대부분의 민물생선은 해로움
유제품과 계란	코티지 치즈, 파머 치즈, 모차렐라 치즈, 요구르트	체더 치즈, 소이 치즈, 두유, 스트링 치즈, 스위스 치즈,	체더 치즈, 블루 치즈, 버터, 카망베르 치즈, 아이스크림, 파마산 치즈, 전유
태양인			계란, 우유
기름과 지방	올리브유	카놀라유, 대구간유, 아마인유, 땅콩기름	옥수수유, 면실유, 홍화유, 참기름, 해바라기기름
견과와 씨앗류	밤, 땅콩, 호두, 귀리기울, 오트밀, 호밀	아몬드, 브라질넛, 카슈넛, 파스타치오, 아마린스, 맥아, 감자녹말	개암, 호박씨, 깨, 해바라기씨, 메밀, 콘플레이크
태양인	잣		대추, 은행

곡류, 콩류	현미, 에세네빵, 에스겔빵, 수수, 쌀, 호밀, 발아밀빵, 팥, 귀리, 백미, 밀	스펠트빵, 통밀빵, 누에콩, 완두콩, 흰콩, 렌즈콩	옥수수, 보리, 메밀, 강낭콩, 리마콩, 동부, 검정콩
태양인	메주, 녹두, 두부		찹쌀, 메주콩, 흰콩, 율무
채소류	비트, 브로콜리, 셀러리, 오이, 가지, 마늘, 케일, 겨자잎, 파슬리, 고구마	아스파라거스, 죽순, 당근, 처빌, 생강, 양배추, 치커리, 고사리, 고추냉이, 부추, 양상치, 표고버섯, 감자, 순무, 시금치, 근대, 토마토, 냉이, 버섯류, 양파, 호박	검은 올리브, 고추, 래디시, 숙주
태양인	배추, 연근, 토란, 쑥, 쑥갓, 취나물, 달래, 씀바귀, 깻잎, 파, 익모초		더덕, 열무, 도라지, 콩나물, 참마, 미나리, 어성초, 신선초, 인삼
과일	버찌, 무화과, 포도, 키위, 레몬, 자두, 파인애플	사과, 살구, 딸기, 블루베리, 건포도, 금귤, 멜론, 수박, 복숭아, 파파야, 자두, 귤	바나나, 코코넛, 구아바, 망고, 오렌지, 감, 석류
태양인	배, 곶감, 모과, 유자, 앵두		매실, 참외
각종음료	당근, 샐러리, 검은 버찌, 파파야, 우엉, 생강, 인삼, 녹차, 커피, 적포도주	사과, 살구, 파인애플, 자두, 레몬수, 야채주스, 오디, 맥주, 탄산수, 백포도주	오렌지, 알로에, 머위, 용담속, 증류주, 콜라, 소다수, 홍차
태양인	오가피, 로얄제리, 솔잎차, 쑥차		영지, 구기자, 오미자, 결명자
향신료, 양념	카레, 마늘, 고추냉이, 파슬리	물엿, 생강, 처빌, 계피, 정향, 벌꿀, 박하, 겨자, 피망, 바닐라, 식초, 겨자, 마요네즈	올스파이스, 엿기름, 옥수수물엿, 후추, 고춧가루, 케첩, 피클

※ ■ 태양인에게 이로운 음식 ■ 태양인에게 해로운 음식

☑ AB형+태음인을 위한 음식 비교

	이로운 음식	무난한 음식	해로운 음식
육류와 가금류	양고기, 토끼고기, 칠면조	간, 꿩고기	베이컨, 쇠고기, 닭고기, 햄, 오리고기, 거위고기, 돼지고기, 메추라기
태음인	소내장		개고기
어패류	다랑어, 대구, 고등어, 아귀, 도미, 송어, 정어리, 청어, 철갑상어	전복, 잉어, 메기, 캐비어, 홍합, 상어, 가리비, 빙어, 오징어, 옥돔, 민어, 농어, 연어	멸치, 대합조개, 소라, 게, 가재, 새우, 문어, 뱀장어, 가자미, 넙치, 바다가재, 훈제연어, 굴, 가자미
태음인	민물뱀장어, 향어		낙지, 갈치, 꽁치, 참치
유제품과 계란	코티지 치즈, 파머 치즈, 모차렐라 치즈, 요구르트	체더 치즈, 소이 치즈, 두유, 스트링 치즈, 스위스 치즈	체더 치즈, 블루 치즈, 버터, 브리 치즈, 카망베르 치즈, 아이스크림, 파마산 치즈, 전유
태음인	우유		
기름과 지방	올리브유	카놀라유, 대구간유, 아마인유, 땅콩기름	옥수수유, 면실유, 홍화유, 참기름, 해바라기유
견과와 씨앗류	밤, 땅콩, 호두, 귀리기울, 오트밀, 호밀	아몬드, 브라질넛, 카슈넛, 파스타치오, 아마린스, 맥아, 감자녹말	개암, 호박씨, 깨, 해바라기씨, 메밀, 콘플레이크
태음인	은행, 잣		대추

곡류, 콩류	현미, 에세네빵, 에스겔빵, 팥, 수수, 쌀, 호밀, 발아밀빵, 귀리, 백미, 밀	스펠트빵, 통밀빵, 누에콩, 완두콩, 흰콩, 렌즈콩	옥수수, 보리, 메밀, 강낭콩, 리마콩, 동부, 검정콩
태음인	멥쌀, 조, 율무		흑태, 녹두
채소류	비트, 브로콜리, 셀러리, 오이, 가지, 마늘, 케일, 겨자잎, 파슬리, 고구마, 두부	아스파라거스, 죽순, 당근, 처빌, 감자, 양배추, 고추냉이, 치커리, 표고버섯, 고사리, 생강, 부추, 양상치, 순무, 근대, 시금치, 토마토, 냉이, 버섯, 양파, 호박	검은 올리브, 고추, 래디시, 숙주
태음인	도라지, 냉이, 쑥갓, 달래, 무순, 열무, 무, 연근		미나리, 참외, 배추
과일	버찌, 무화과, 포도, 키위, 레몬, 파인애플, 자두	사과, 살구, 딸기, 블루베리, 건포도, 금귤, 멜론, 수박, 복숭아, 파파야, 자두, 귤	바나나, 코코넛, 구아바, 망고, 오렌지, 감, 석류
태음인	석류, 유자, 체리, 배		앵두, 곶감, 모과
각종음료	당근, 샐러리, 검은 버찌, 우엉, 파파야, 카모밀라, 생강, 녹차, 에키나세아, 인삼, 딸기잎, 커피, 녹차, 적포도주	사과, 살구, 파인애플, 자두, 레몬수, 야채주스, 당귀, 오디, 페퍼민트, 맥주, 스피어민트, 탄산수, 소다수, 백포도주	오렌지, 알로에, 머위, 용담속, 증류주, 콜라, 홍차
태음인			알로에, 결명자
향신료, 양념	카레, 마늘, 고추냉이, 파슬리	칡가루, 물엿, 생강, 계피, 정향, 커민, 벌꿀, 다시마, 박하, 겨자, 피망, 식초, 로즈마리, 바닐라, 마요네즈, 겨자	올스파이스, 엿기름, 옥수수물엿, 후추, 고춧가루, 케첩, 피클

※ (녹색) 태음인에게 이로운 음식 (분홍색) 태음인에게 해로운 음식

☑ AB형+소양인을 위한 음식 비교

	이로운 음식	무난한 음식	해로운 음식
육류와 가금류	양고기, 토끼고기, 칠면조	간, 꿩고기	베이컨, 쇠고기, 닭고기, 오리고기, 거위고기, 햄, 돼지고기, 메추라기
소양인			개고기, 염소고기
어패류	다랑어, 대구, 고등어, 아귀, 도미, 송어, 정어리, 청어, 철갑상어	전복, 잉어, 메기, 캐비어, 홍합, 상어, 가리비, 오징어, 옥돔, 민어, 농어, 연어	멸치, 대합조개, 소라, 게, 가재, 문어, 뱀장어, 가자미, 굴, 새우, 가자미
소양인	해삼, 멍게, 가물치, 복어, 대부분의 어패류		조기
유제품과 계란	코티지 치즈, 파머 치즈, 모짜렐라 치즈, 요구르트	체더 치즈, 소이 치즈, 두유, 스트링 치즈, 스위스 치즈	체더 치즈, 블루 치즈, 버터, 카망베르 치즈, 아이스크림, 파마산 치즈, 전유
소양인	계란		
기름과 지방	올리브유	카놀라유, 대구 간유, 아마인유, 땅콩기름	옥수수유, 면실유, 홍화유, 참기름, 해바라기유
견과와 씨앗류	밤, 땅콩, 호두, 귀리기울, 오트밀, 호밀	아몬드, 브라질넛, 카슈넛, 파스타치오, 아마린스, 맥아, 감자녹말	개암, 호박씨, 깨, 메밀, 해바라기씨, 콘플레이크
소양인			대추

곡류, 콩류	현미, 에세네빵, 에스겔빵, 쌀, 수수, 호밀, 발아밀빵, 팥, 귀리, 백미, 밀	스펠트빵, 통밀빵, 누에콩, 완두콩, 흰콩, 렌즈콩	옥수수, 보리, 메밀, 강낭콩, 리마콩, 동부, 검정콩
소양인	맵쌀, 조, 율무, 두부		율무, 찹쌀, 조, 흰콩
채소류	비트, 브로콜리, 셀러리, 오이, 가지, 마늘, 케일, 겨자잎, 파슬리, 고구마	아스파라거스, 죽순, 당근, 처빌, 생강, 양배추, 치커리, 표고버섯, 고추냉이, 고사리, 부추, 양상치, 감자, 순무, 근대, 시금치, 토마토, 냉이, 버섯, 양파, 호박	검은 올리브, 고추, 래디시, 숙주
소양인	셀러리, 미나리, 취나물, 연근, 토란, 참외, 버섯, 콩나물		인삼, 파, 미역, 김, 도라지, 더덕, 마
과일	버찌, 무화과, 포도, 키위, 레몬, 자두, 파인애플	사과, 살구, 딸기, 블루베리, 건포도, 금귤, 멜론, 수박, 복숭아, 파파야, 자두, 귤	바나나, 코코넛, 구아바, 망고, 오렌지, 감, 석류
소양인	배, 곶감		
각종음료	당근, 셀러리, 검은 버찌, 생강, 파파야, 우엉, 카모밀라, 인삼, 녹차, 커피, 녹차, 적포도주	사과, 살구, 파인애플, 자두, 야채주스, 당귀, 오디, 페퍼민트, 스피어민트, 맥주, 탄산수, 백포도주	오렌지, 알로에, 머위, 콜라, 용담속, 증류주, 소다수, 홍차
소양인	결명자, 구기자, 산수유, 보리		알로에, 결명자
향신료, 양념	카레, 마늘, 고추냉이, 파슬리	칡가루, 물엿, 생강, 계피, 정향, 커민, 벌꿀, 다시마, 박하, 겨자, 피망, 식초, 바닐라, 마요네즈, 겨자	올스파이스, 엿기름, 옥수수물엿, 후추, 고춧가루, 케첩, 피클

※ 소양인에게 이로운 음식 / 소양인에게 해로운 음식

☑AB형+소음인을 위한 음식 비교

	이로운 음식	무난한 음식	해로운 음식
육류와 가금류	양고기, 토끼고기, 칠면조	간, 꿩고기	베이컨, 쇠고기, 닭고기, 오리고기, 거위고기, 햄, 돼지고기, 메추라기
소음인	개고기, 염소고기		
어패류	다랑어, 대구, 고등어, 아귀, 도미, 송어, 정어리, 청어, 철갑상어	전복, 잉어, 메기, 캐비어, 홍합, 상어, 가리비, 빙어, 오징어, 옥돔, 민어, 농어, 연어	멸치, 대합조개, 소라, 게, 가재, 넙치, 뱀장어, 가자미, 바다가재, 훈재연어, 문어, 굴, 새우, 가자미
소음인	미꾸라지, 조기, 갈치, 참치		낙지, 조개류
유제품과 계란	코티지 치즈, 파머 치즈, 모짜렐라 치즈, 요구르트	체더 치즈, 소이 치즈, 두유, 스트링 치즈, 스위스 치즈	체더 치즈, 블루 치즈, 버터, 카망베르 치즈, 아이스크림, 파마산 치즈, 전유
소음인	계란		
기름과 지방	올리브유	카놀라유, 대구간유, 아마인유, 땅콩기름	옥수수유, 면실유, 홍화유, 참기름, 해바라기유
견과와 씨앗류	밤, 땅콩, 호두, 귀리기울, 오트밀, 호밀	아몬드, 브라질넛, 카슈넛, 맥아, 파스타치오, 아마린스, 감자녹말	개암, 호박씨, 깨, 해바라기씨, 메밀, 콘플레이크
소음인	도토리묵		대추, 잣

곡류, 콩류	현미, 에세네빵, 에스겔빵, 수수, 쌀, 호밀, 발아밀빵, 팥, 귀리, 백미, 밀	스펠트빵, 통밀, 누에콩, 완두콩, 흰콩, 렌즈콩	옥수수, 보리, 메밀, 강낭콩, 리마콩, 동부, 검정콩
소음인	찹쌀, 조, 두부		흰콩, 녹두, 율무
채소류	비트, 브로콜리, 셀러리, 오이, 가지, 마늘, 케일, 겨자잎, 파슬리, 고구마	아스파라거스, 죽순, 당근, 처빌, 생강, 양배추, 치커리, 표고버섯, 고추냉이, 부추, 양상치, 고사리, 감자, 순무, 시금치, 근대, 토마토, 냉이, 버섯, 양파, 호박, 다시마	검은 올리브, 고추, 래디시, 숙주
소음인	미역, 생강, 토마토, 김, 파래, 파, 취나물, 연근, 쑥갓		미나리, 도라지, 더덕, 참외, 배추, 신선초
과일	버찌, 무화과, 포도, 키위, 레몬, 파인애플, 자두	사과, 살구, 딸기, 블루베리, 건포도, 귤, 금귤, 멜론, 수박, 복숭아, 파파야, 자두	바나나, 코코넛, 구아바, 망고, 오렌지, 감, 석류
소음인			배, 곶감
각종음료	당근, 샐러리, 검은 버찌, 파파야, 우엉, 카모밀라, 생강, 인삼, 커피, 녹차, 적포도주	사과, 살구, 파인애플, 자두, 레몬수, 야채주스, 당귀, 오디, 페퍼민트, 맥주, 스피어민트, 탄산수, 소다수, 백포도주	오렌지, 알로에, 머위, 용담속, 증류주, 콜라, 소다수, 홍차
소음인	토마토		영지, 구기자, 오미자, 결명자
향신료, 양념	카레, 마늘, 고추냉이, 파슬리	칡가루, 물엿, 생강, 처빌, 계피, 벌꿀, 다시마, 박하, 겨자, 바닐라, 로즈마리, 간장, 스피어민트, 피망, 식초, 겨자, 마요네즈	올스파이스, 엿기름, 후추, 옥수수물엿, 고춧가루, 케첩, 피클

※ (녹색) 소음인에게 이로운 음식 (분홍색) 소음인에게 해로운 음식